I am Pat.

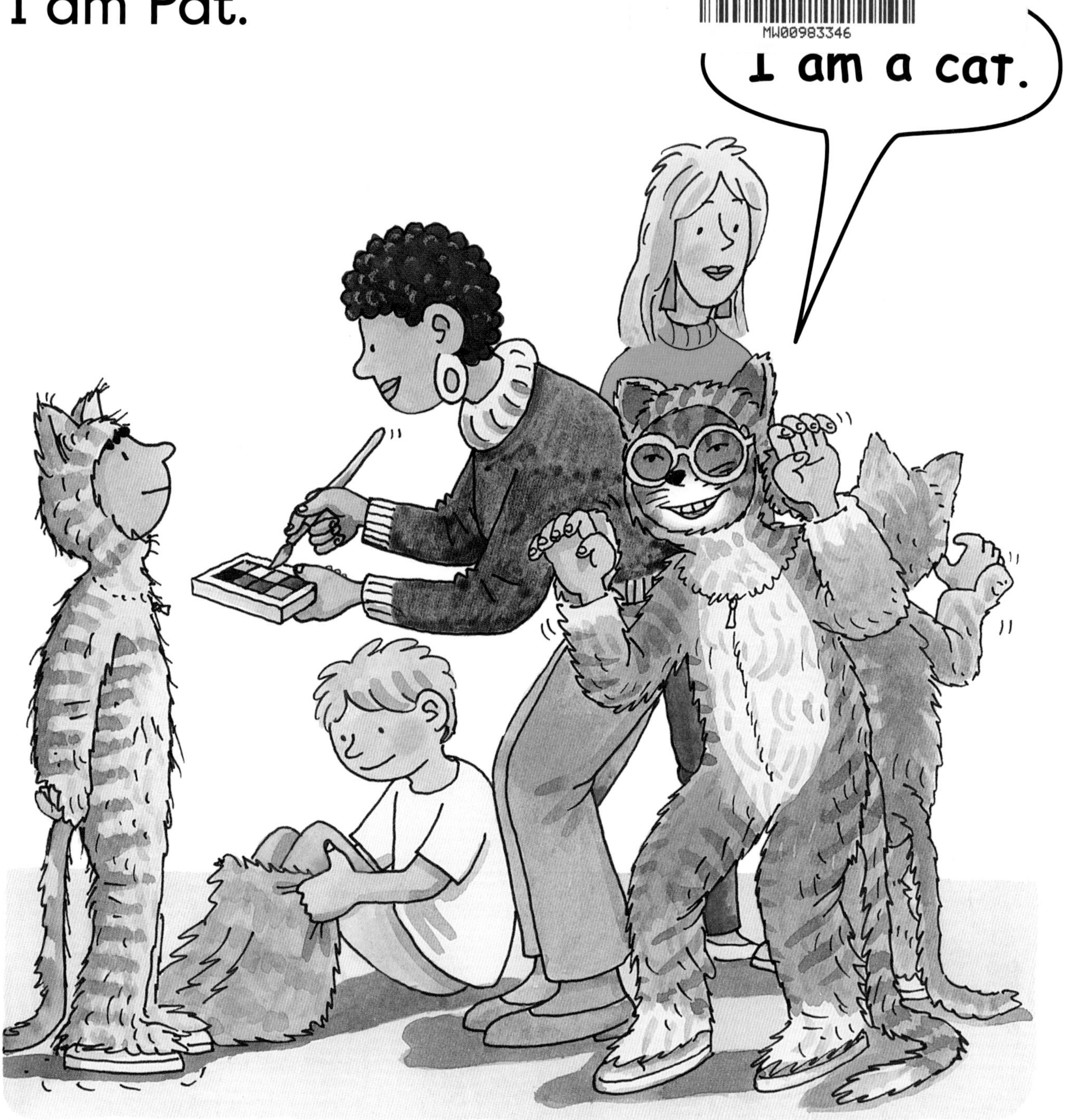

I am Sam.

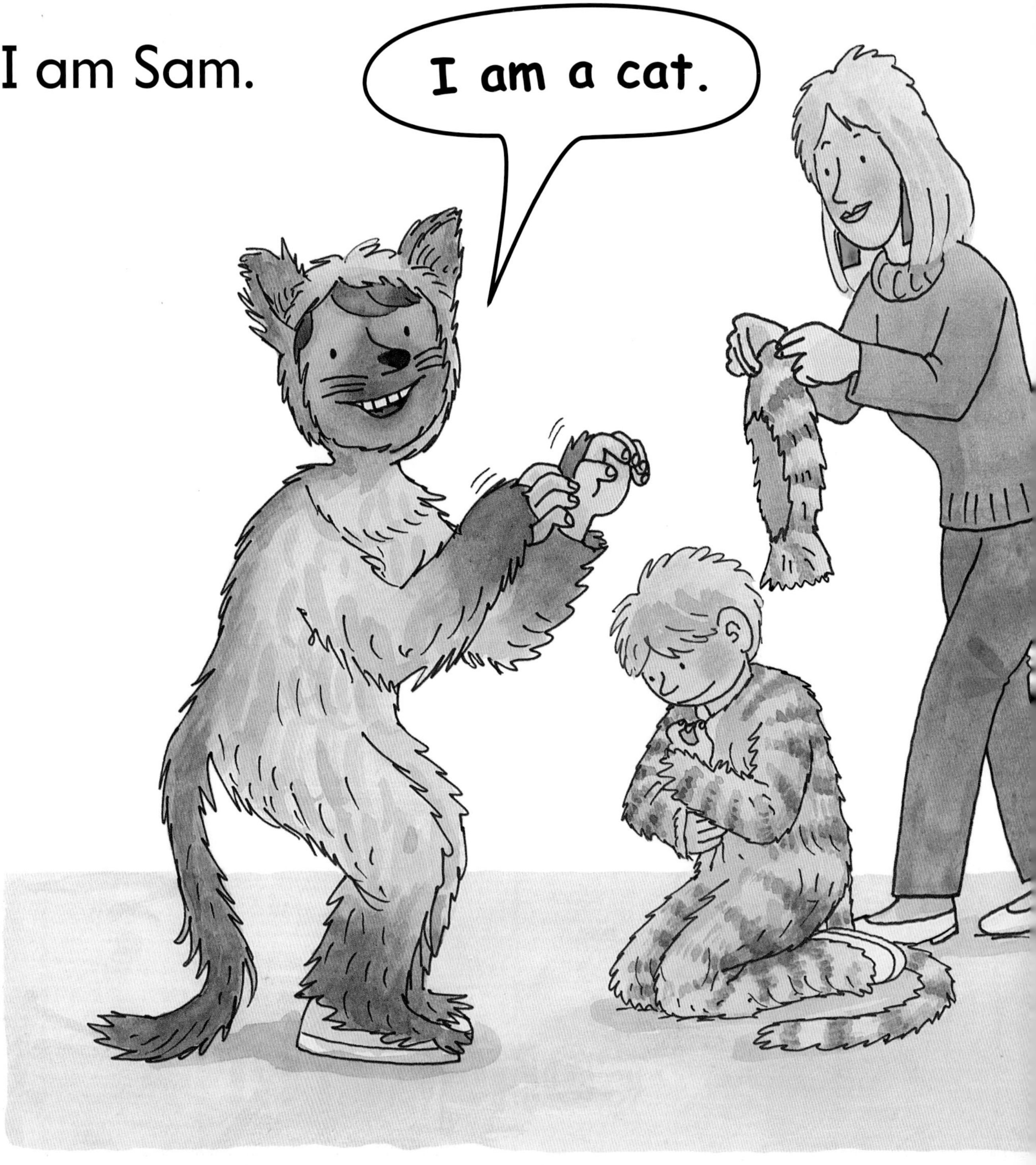

I am Pam.
I am Tam.

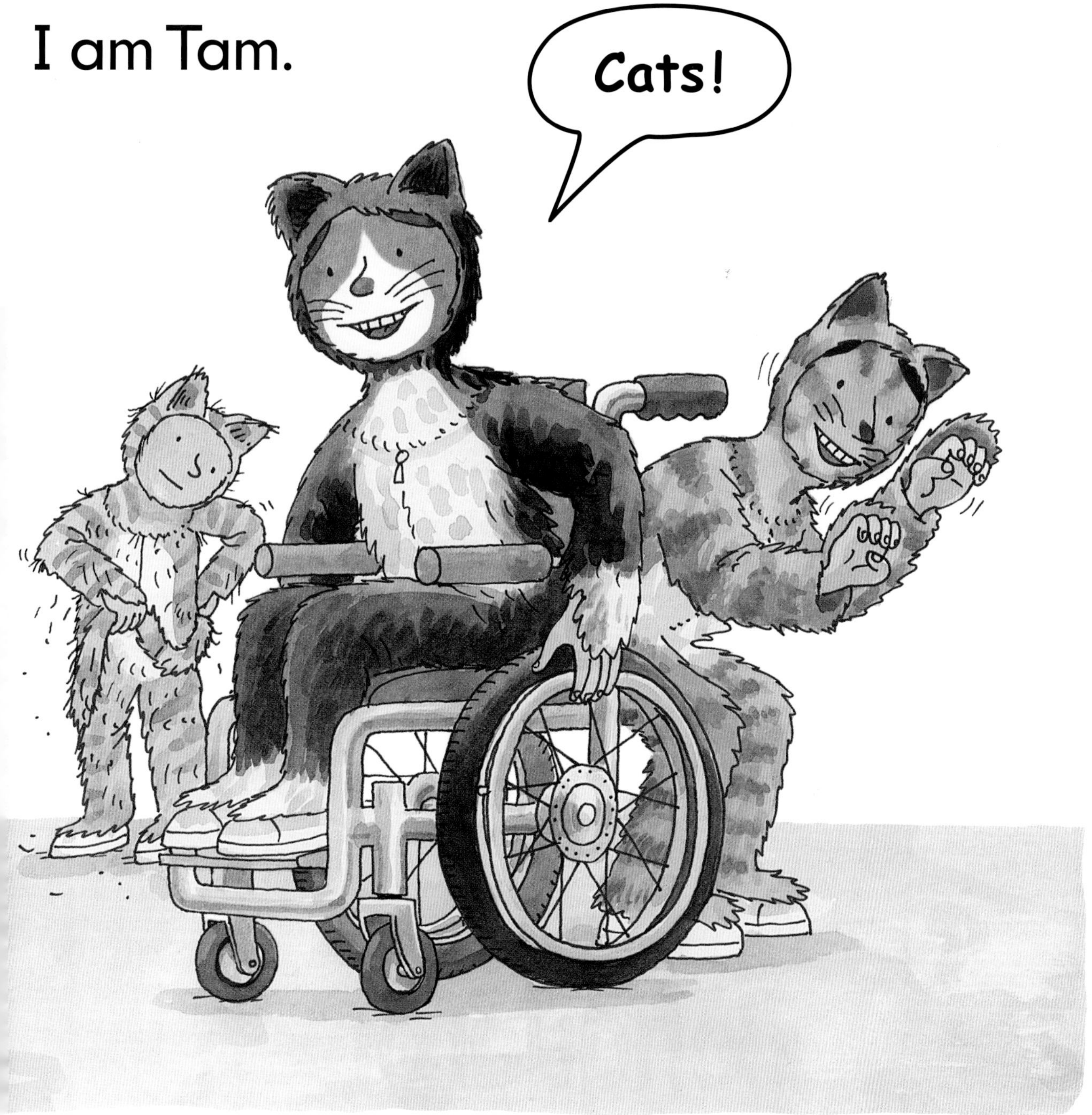

I am Mat.

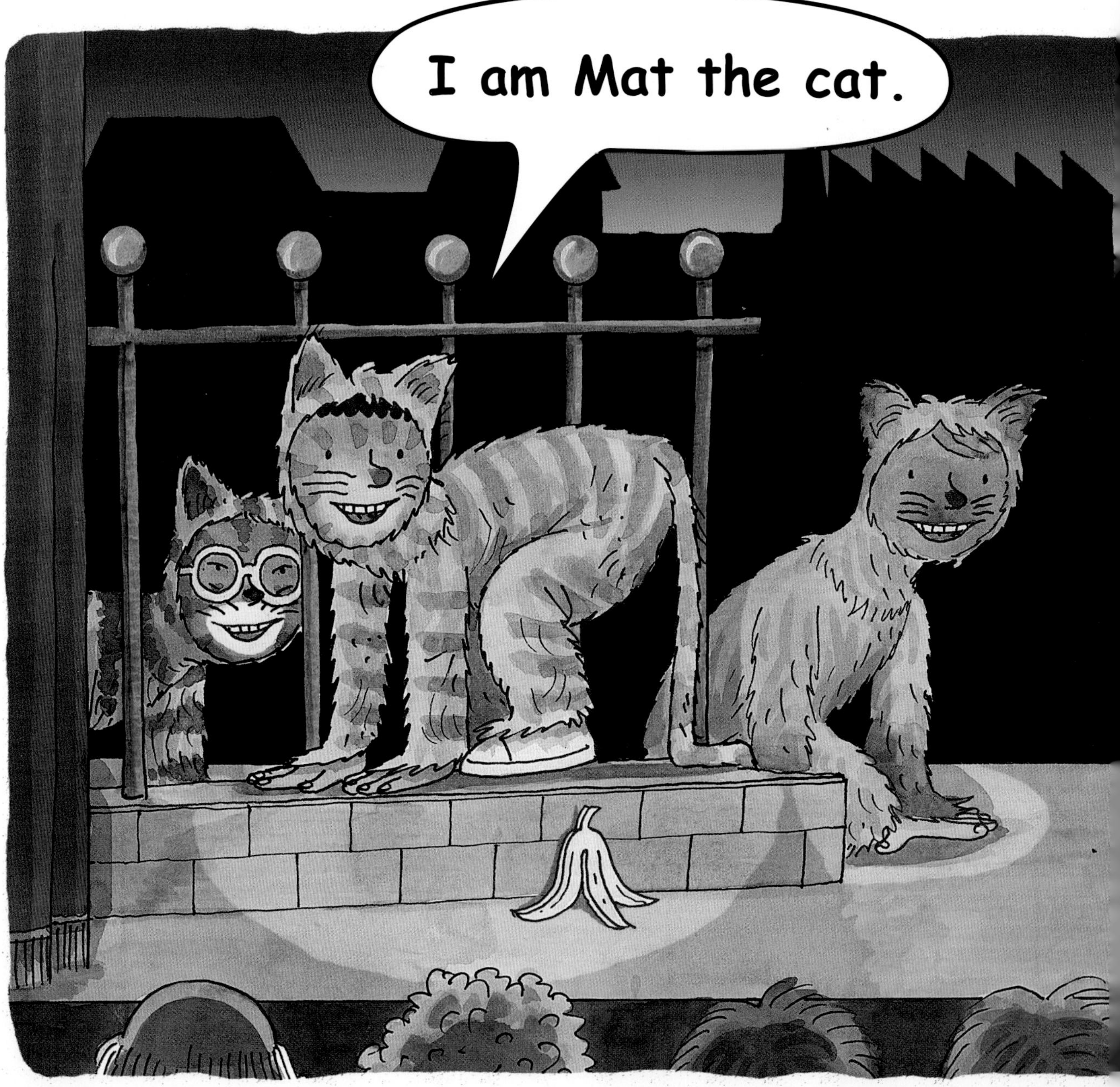

I am Kipper.

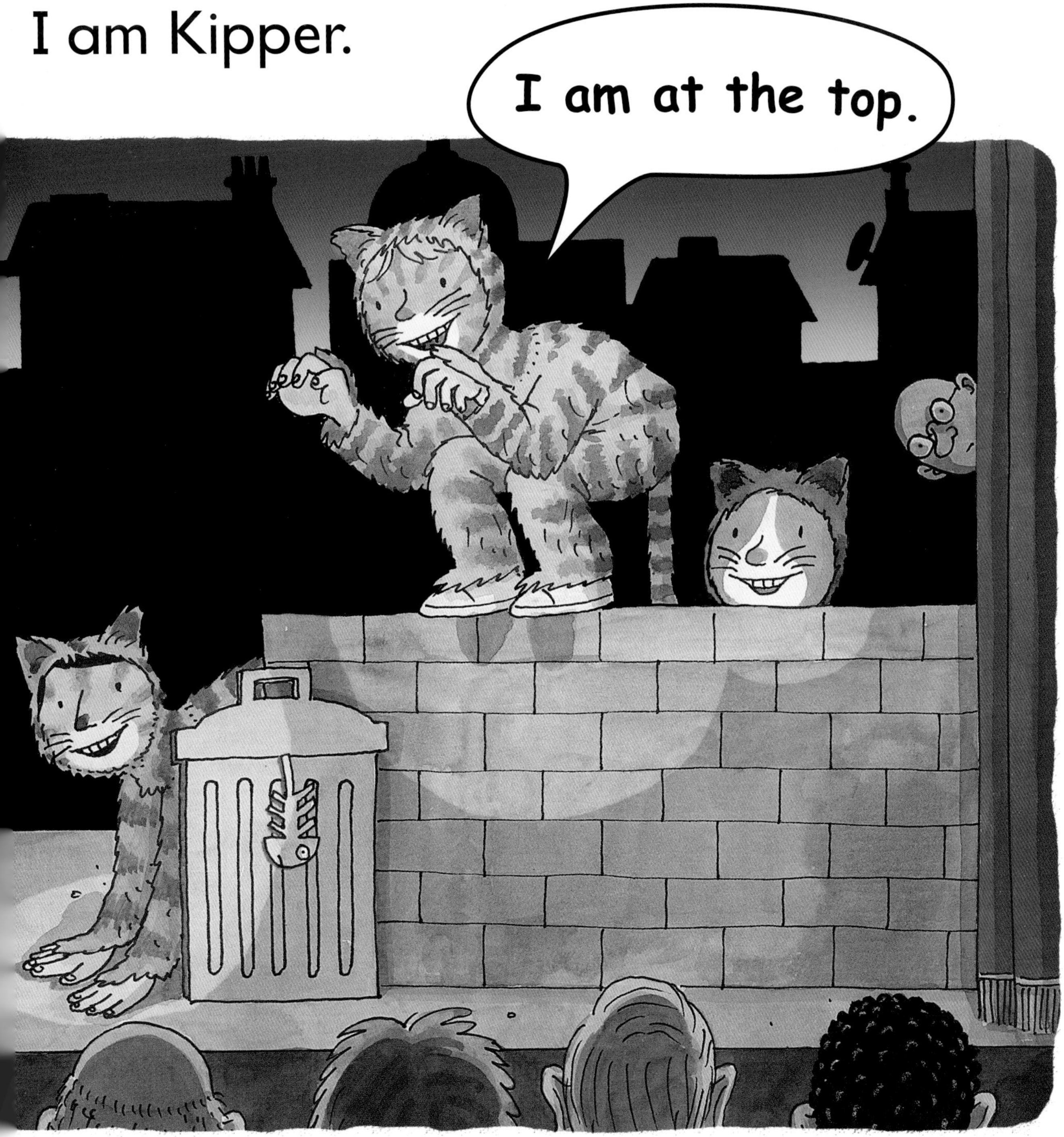
I am at the top.

I am Tom.

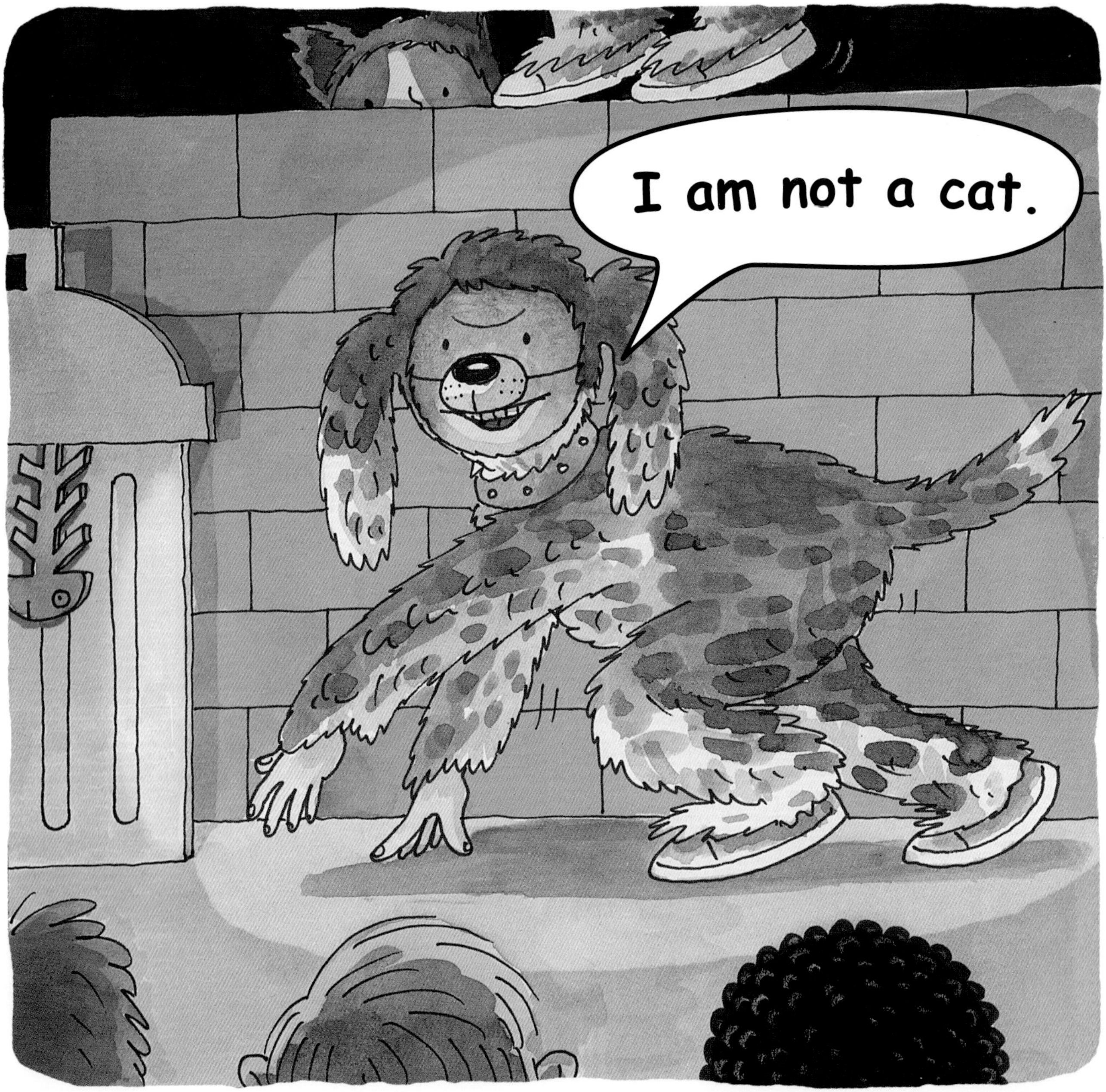

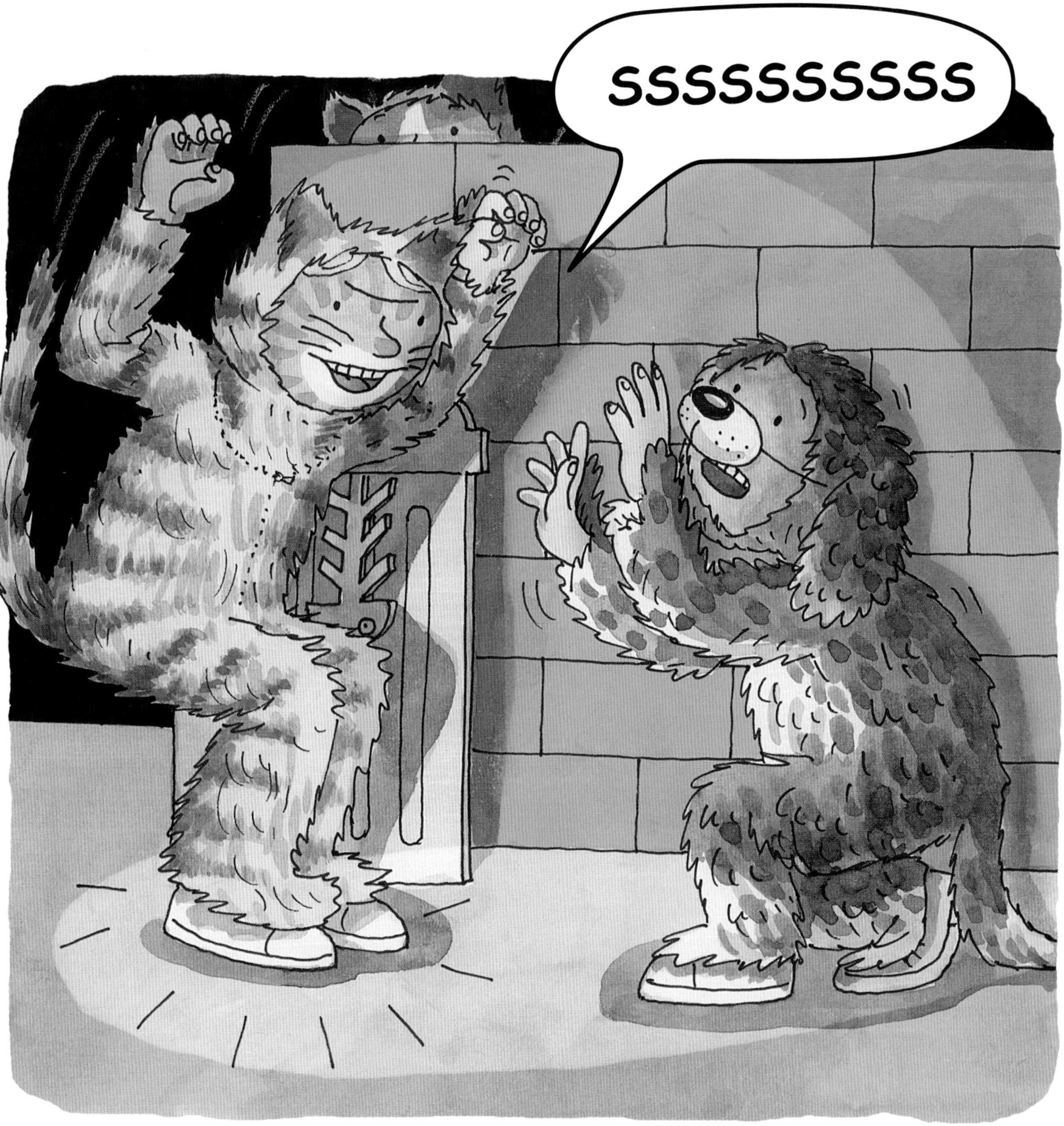
SSSSSSSSSSS

I am Kipper.

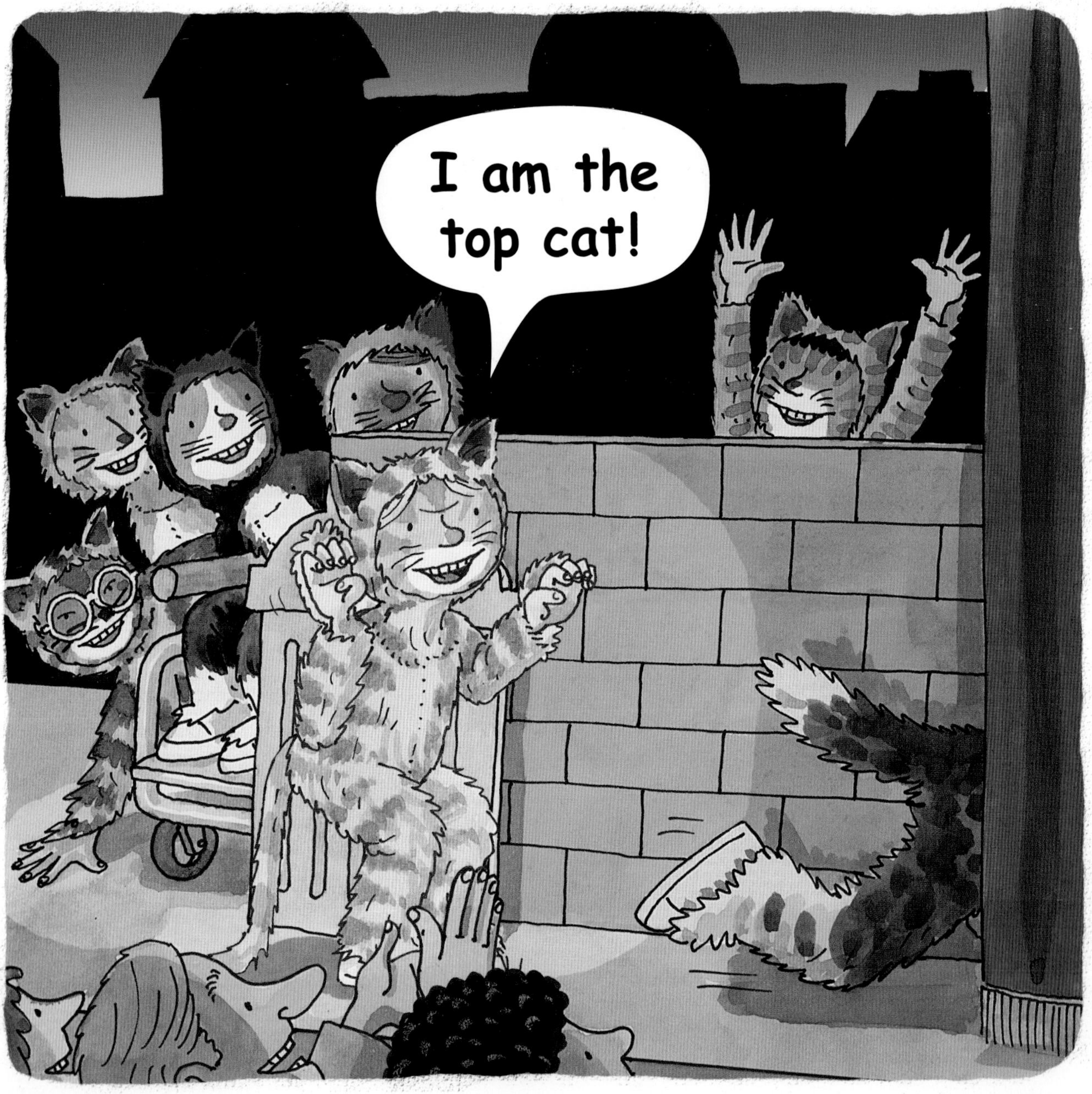